15112147 20

中华人民共和国行业标准

乳化沥青路面施工及验收规程

CJJ 42－91

条 文 说 明

主编单位：大连市城市建设管理局

（限国内发行）

中国建筑工业出版社

1992 北 京

中华人民共和国行业标准

乳化沥青路面施工及验收规程

CJJ 42－91

条 文 说 明

（限国内发行）

*

中国建筑工业出版社出版、发行（北京西郊百万庄）

各地新华书店、建筑书店经销

北京红光制版公司制版

北京市兴顺印刷厂印刷

*

开本：850×1168毫米　1/32　印张：1　字数：25千字

1992年2月第一版　　2008年5月第二次印刷

印数：3201—6200册　　定价：**10.00**元

统一书号：15112・14720

本社网址：http://www.cabp.com.cn

网上书店：http://www.china-building.com.cn

前　言

　　根据原城乡建设环境保护部（84）城科字第 153 号文的要求，由大连市城市建设管理局主编，南京市市政设计院等单位参加共同编制的《乳化沥青路面施工及验收规程》（CJJ 42 - 91），经建设部 1991 年 6 月 27 日以建标〔1991〕428 号文批准，业已发布。

　　为便于广大设计、施工、科研、学校等单位的有关人员在使用本标准时能正确理解和执行条文规定，《乳化沥青路面施工及验收规程》编制组按章、节、条顺序编制了本标准的条文说明，供国内使用者参考。在使用中如发现本条文说明有欠妥之处，请将意见函寄大连市城市建设管理局。

　　本《条文说明》由建设部标准定额研究所组织出版发行，仅供国内使用，不得外传和翻印。

目　　次

第一章 总 则

第1.0.1条 乳化沥青路面，已在全国范围内推广使用，至今还没有统一的技术要求，特别是对于能源短缺，资金不足，技术力量薄弱的中、小城市建设，尤其需要能指导乳化沥青路面施工的技术规程。

第1.0.2条 本规范适用范围是城镇道路的乳化沥青路面施工。

部分城市乳化沥青路面实际承担的交通量参见表S-1.0.2。

表 S-1.0.2 乳化沥青路面实际交通量表

城市	道路名称	筑路时间	面层结构	车道数	交通量 (veh/d)	调查时间
大连市	中山路	1980年6月	4cm厚阳离子乳化沥青混凝土面层	双向四车道宽20m	6200 (混合交通)	1983年6月
	华北路	1982年8月	8cm阴离子乳化沥青贯入式面层	双向四车道宽22m	12000 (混合交通)	1985年3月
重庆市	北区道	1982年10月	7cm阳离子乳化沥青混凝土面层	单向双车道	8188 (解放车)	1982年1月
	三层路	1983年12月	8cm阳离子乳化沥青混凝土面层	单车道	2527 (解放车)	1984年4月
南京市	新民路	1985年6月	9cm阳离子乳化沥青混凝土面层下层	单车道宽6m	505 (黄河车)	1986年8月
	双桥北街	1987年9月	5cm阳离子乳化沥青混凝土面层	双车道宽6m	950 (混合交通)	1987年10月

第1.0.3条 根据各地实践经验，乳化沥青路面成型后与热沥青路面的性能基本一致，其性能比较见表S-1.0.3。所不同的是，施工条件，成型的机理和施工方法有所差别，与热沥青路面相比较，可节约能源50%，降低沥青用量10%～20%，减少环境污染，操作简便，节省人工30%。

表 S-1.0.3　冷热沥青混凝土路面面性能比较表

城市名称	试验地点	路试日期	试验方式	取样日期	混合料种类	混合料类别	沥青用量(%)	击实次数	试验结果						备注
									实际密度(g/cm³)	路面密实度(%)	稳定度(N)	流值(1/10mm)	空隙率(%)	饱和度(%)	
重庆	三层路	1983年12月	室内试验	1987年12月	中粒	冷	5.76	50	2.33		6280	37	5.4	71	
						热	5.76	50	2.38		9700	39	3.6	79	
天津	广路开复二线纬	1987年6月	路面取样	1987年9月	细粒	冷	5.50	50		100	6110	29			
						热	8.70	50		95.6	6280	28			
南京	新民路	1983年6月	生产取样	1983年6月	中粒	冷	5.22	75	2.34		5513				
			路面取样		粗粒	冷	5.22	75	2.35		5039				
			路面取样	1988年1月	中粒	冷	5.22	75	2.41		7610				
					粗粒	冷	5.22	75	2.42		6270				

注：①混合料类别中"冷"表示乳化沥青混合料，"热"表示热沥青混合料。
②凡路面取样的乳化沥青混合料，均按热沥青混合料试验法进行试验。

乳化沥青路面成型是指破乳碾压到路面密实成型的过程。它包括两个阶段：一是乳化沥青破乳后水分析出使沥青与矿料粘结；二是粘结沥青的矿料通过碾压达到密实成型。碾压是成型的关键，适度碾压极为重要，碾压不足面层不易稳定，空隙很大，乳液容易流失，形成上层"缺油"。碾压过度，石料被过多地压碎，破坏了级配，使空隙减少、乳液难以下渗，造成上层"多油"现象。

　　应当指出，行车自然碾压是路面成型的重要手段。路面的成型期，随路面类型、施工季节与交通量不同而异。

第二章 乳化沥青

第一节 一般规定

第 2.1.1 条 以石油沥青为原材料制备的乳化沥青，其路用性能好。用其它类沥青制做乳化沥青的实际应用，国内尚未开发。因此本规程只限于石油沥青。与美国、日本标准比较，见表 S-2.1.3。

第 2.1.2 条 城镇道路乳化沥青路面所使用的乳化沥青以石油沥青为主。本条主要目的是：既说明了乳化沥青的物理性能，又要求任何种类的乳化沥青与矿料必须有良好的胶结能力。胶结能力是通过粘附试验确定的。要求乳化沥青对各种矿料如酸性的，碱性的，都有较好的粘附力。特别是矿料在潮湿状态下也有很好的粘结能力，要求沥青膜薄而均匀，在冲洗后粘附面积大于三分之二以上。

乳化沥青制成后，在五日内使用完毕或者主要用于粘层油、表面处治及贯入，可不加稳定剂；若用于拌制乳化沥青混合料或者贮存期较长，则应加稳定剂。对不同的乳化剂应加不同的稳定剂，通过试验选择合适的稳定剂。

第 2.1.3 条 乳化沥青分类有多种方法，我们采用离子型分类。沥青乳化剂，可分为离子型和非离子型两大类；而离子型又分为阳离子、阴离子和两性离子（即同时含有阳、阴离子）。使用上述沥青乳化剂生产出来的乳化沥青，一般所带电荷均与乳化剂电荷相同。国际、国内的乳化沥青路面所使用的乳化沥青有阳、阴离子型。

表 2.1.3 中规定的沥青含量，是指乳化沥青按规定的方法蒸发后残留物的含量。此残留物中的 99% 左右为沥青，因此作为沥青含量，其误差也在允许范围之内。用于粘层的乳化沥青的粘

4

表 S-2.1.3　与美国、日本乳化石油沥青技术标准比较表

项目		美国 $\left(\dfrac{ASTM\quad D2397-73}{ASTM\quad D977-73}\right)$					
		阳离子			阴离子		
		快裂 CRS-1 CRS-2	中裂 CMS-2 CMS-2h	慢裂 CSS-1 CSS-1h	快裂 RS-1 RS-2	中裂 MS-1 MS-2 MS-2h	慢裂 SS-1 SS-1h
粘度	恩氏粘度	—			—		
	赛氏粘度(S)	20~100 100~400	50~450 50~450	*20~100 *20~100	*20~100 *75~400	*20~100 *小于100	*20~100 *20~100
筛上余量	过1.2mm筛,小于(%)	0.1			0.1		
粘附	附着度大于	—			—		
	被膜度大于	—			—		
拌和稳定度		快裂	中裂	慢裂	快裂	中裂	慢裂
水泥拌和试验残留物含量,小于(%)		—	2 2			2 2	
电荷		(+)			(—)		
沥青含量		60 65	65 65	57 57	55 63	55 65 65	57 57
蒸发残留物	针入度 25℃,100g,5s (1/10mm)	100~250 100~250	100~250 40~90	100~250 40~90	100~200 100~200	100~200 100~200 100~200	100~200 40~90
	延度,25℃,(cm)	40			40		
	溶解度%	97.5			97.5		
贮存	贮存稳定度(5d)%	5			5		
	贮存稳定度(1d)%	1			1		
冰冻稳定度(-5℃)		—			—		
pH值		—			—		

5

续表 S-2.1.3

项 目		日本(JISK 2208-80)					
		阳离子			阴离子		
		PK-1 PK-2 PK-3	MK-1	MK-2 MK-3	PA-1 PA-2 PA-3	MA-1	MA-2 MA-3
粘度	恩氏粘度	3~15 3~15 1~6	3~40	3~40 3~40	3~15 3~15 1~6	3~40	3~40 3~40
	赛氏粘度(S)	—			—		
筛上余量	过1.2mm筛,小于(%)	0.3			0.3		
粘附	附着度大于	2/3			—		
	被膜度大于	—			2/3		
拌和稳定度		—			—		
水泥拌和试验 残留物含量, 小于(%)		—		— 5	—		2
电 荷		(+)			(—)		
沥青含量		60 60 50	57	57 57	60 60 50	57	57 57
蒸发残 留物	针入度 25℃,100g,5s (1/10mm)	100~200 150~300 100~300	60~200	60~200 60~300	100~200 150~300 100~300	60~200	60~200 60~300
	延度,25℃,(cm)	100	80	80	100	80	80
	溶解度%	98	97	97	98	97	97
贮存	贮存稳定度(5d)%	5			5		
	贮存稳定度(1d)%	—			—		
冰冻稳定度(—5℃)		无粗粒 结块			无粗粒 结块		
pH值		—			—		

项　目		本　规　程					
		阳离子			阴离子		
		快裂 CR	中裂 CM	慢裂 CS	快裂 AR	中裂 AM	慢裂 AS
粘度	恩氏粘度	3～15	3～40	3～40	3～15	3～40	3～40
	赛氏粘度(S)	—			—		
筛上余量	过1.2mm筛,小于(%)	0.3			0.3		
粘附	附着度大于	2/3					
	被膜度大于	—			2/3		
拌和稳定度		快裂	中裂	慢裂	快裂	中裂	慢裂
水泥拌和试验残留物含量,小于(%)			—	5			2
电　荷		（＋）			（－）		
沥青含量		55～60			55～60		
蒸发残留物	针入度 25℃,100g,5s (1/10mm)	80～200	60～200	60～200	80～200	60～200	60～200
	延度,25℃,(cm)	40			40		
	溶解度%	98	97	97	98	97	97
贮　存	贮存稳定度(5d)%	5			5		
	贮存稳定度(1d)%	—			—		
冰冻稳定度(－5℃)		无粗粒结块			无粗粒结块		
pH 值		≤7			≥7		

注：赛氏粘度试验温度为 25℃。

度值可降低到 0.4 倍，并采用 50％沥青含量；用于表面处治和贯入式路面时，应采用 60％；用于拌和乳化沥青混合料时，选择 55％～57％为好。

蒸发残留物的三项物理性能指标，应根据施工季节来确定。一般的说，针入度的低值用于夏季，高值用于春、秋季节（南方还包括冬季）；延度越大，沥青的路用性能越好，最好是 100cm以上，但国内石油沥青的实际情况一般均不易达到，因此规定为 40cm 以上，与美国标准一致。

pH 值只代表乳化沥青的酸碱度，不能用它来区别阳、阴离子型。通过试验表明，沥青微粒电荷为（＋）和（－）时，pH值也有大于或小于 7 的乳液。因此，我们并不把它当做判断离子属性的要求，而作为单独的规定列于表中。我们推荐乳化沥青中沥青微粒电荷为（＋）时，pH 值小于或等于 7，当（－）时，pH 值大于或等于 7，才能用于筑路。

恩氏粘度是国际通用的测试粘度的方法。有条件的地方应以恩氏粘度为准。但是常用标准粘度计，也可用以测定粘度，二者取一即可。

慢裂型乳化沥青，主要用于拌和乳化沥青混合料，因此要加做水泥拌和试验。根据实际应用情况，阳离子乳化沥青拌和成型的乳化沥青混凝土路面是成功的。用阴离子拌和的乳化沥青混凝土路面国外虽有规定，但国内尚处于试验阶段。因此规定用阳离子乳化沥青拌和乳化沥青混合料。中裂型乳化沥青，介于快慢裂之间，一般地说，采取措施也可以用于拌制乳化沥青混合料。

第二节 原 材 料

第 2.2.1 条 乳化沥青路面施工的气候分区，可参照表 S-2.2.1-1，分为寒冷地区、温和地区和较热地区。根据设计或规划的交通量和车型，参照表 S-2.2.1-2，表 S-2.2.1-3，划为中、轻交通和重交通（一条车道的日交通量小于 200veh/d 为轻，

200～500veh/d为中，大于500veh/d为重。轴载均为100kN）选用合适的道路石油沥青。各种乳化沥青路面的沥青标号，可参照表S-2.2.1-4选择。

第2.2.2条 乳化剂的质量，以其制成的乳化沥青的质量来检验，一是乳化沥青的微粒直径在2～5μm为好；二是乳液稳定。前者可用显微镜肉眼观测判定百分比或采用计数器检测；后者靠五日稳定度检验。所以，用同等试验方法检验不同的乳化剂，乳化剂用量少，沥青微粒小而稳定度好，则此乳化剂乳化效果好。但是，由于生产上的原因，乳化剂的浓度常有变化，所以以首先要复验，确认乳化剂浓度是否符合出厂说明书中的规定，如不符合规定，应调整乳化剂用量，否则生产的乳化沥青质量欠佳。

第2.2.3条 通常符合饮用水质标准的水可以用于制备乳化沥青，工业废水不能用来制做乳化沥青。饮用水标准参照表S-2.2.3。

表S-2.2.1-1 乳化沥青路面气候分区参考表

气候分区	年度内最低月平均气温（℃）	年内日平均气温≥5℃的日数	所属省区
寒冷地区	低于−10℃	少于215	黑龙江、吉林、辽宁（营口以北）、内蒙古、山西（大同以北）、河北（承德、张家门以北）、陕西（榆林以北）、甘肃、新疆、青海、宁夏、西藏等省区。
温和地区	0～10℃	215～270	辽宁（营口以南）、内蒙古（包头以南）、山西（大同以南）、河北（承德、张家口以南）、陕西（榆林以南、西安以北）、甘肃（天水一带）、山东、河南（南阳以北）、江苏（徐州、淮阴以北）、安徽（宿州、毫县以北）等省区。
较热地区	高于10℃	多于270	河南（南阳以南）、江苏（徐州、淮阴以南）、安徽（毫县、宿州以南）、陕西（西安以南）、广东、广西、湖南、湖北、福建、浙江、江西、云南、贵州、台湾等省区，四川（成都东南）。

注：①青藏高原、四川盆地、贵州高原或其它地区气候呈环状分布时气候分布较
　　大，应根据本地区实际气候情况确定气候分区。
　　②省（区）内也有不同气候，需要时由省（区）自行考虑划分。

表 S-2.2.1-2　中、轻交通道路石油沥青技术指标

项　目		质　量　指　标						
		200号	180号	140号	100号甲	100号乙	60号甲	60号乙
针入度，25℃，100g，5s，1/10mm		201~300	161~200	121~160	91~120	81~120	51~80	41~80
延度，cm 不小于	25℃	100	100	100	90	60	70	40
	15℃	—	—	—	80	—	—	—
软化点（环球法），℃不低于		30	35	35	42~50	42	45~55	45
溶解度（三氯乙烯、三氯甲烷、苯）%，不小于		99	99	99	99	99	98	98
蒸发后损失，160℃，5h，%，不大于		1	1	1	1	1	1	1
蒸发后针入度比，%，不小于		50	60	60	60	60	60	60
闪点（开口式），℃，不低于		180	200	230	230	230	230	230

表S-2.2.1-3　重交通道路石油沥青技术指标

检验项目		AH-160	AH-180	AH-90	AH-70	AH-50
针入度, 25℃, 100g, 5s, 1/10mm		141~180	101~140	81~100	61~80	41~60
延度, cm, 不小于	25℃	100	100	100	100	100
	15℃	100	100	100	100	100
软化点(环球法), ℃		38~48	40~50	42~52	44~54	45~55
溶解度(三氯乙烯、三氯甲烷苯)%, 不小于		99	99	99	99	99
蒸发后损失, 160℃, 5h, %, 不大于		1	1	1	1	1
蒸发后针入度比, %, 不小于		60	60	70	70	70
蒸发后延度, cm, 25℃, 不小于		50	50	50	50	50
闪点(开口式), ℃, 不低于		200	230	230	230	230
蜡含量(蒸馏法), %, 不大于		3	3	3	3	3
比重, 25℃, 不小于		1.0	1.0	1.0	1.0	1.0

注：蒸发后的样品针入度与原针入度之比乘上100，即得出残留物针入度占原针入度的百分数，称之为蒸发后针入度比%。

表 S-2.2.1-4　适合于各种乳化沥青路面的沥青标准

| 地区 | 沥青种类 | 沥青标号 | | | | |
		表面处治	贯入式	乳化沥青碎石	乳化沥青混凝土
寒冷地区	石油沥青	AH-160 180号 200号	180号 200号	AH-90 AH-120 100号 140号	AH-90 AH-120 100号 140号
温和地区	石油沥青	AH-120 AH-160 140号 180号	100号 140号	AH-90 AH-120 100号 140号	AH-50　AH-70 AH-90 60号 100号
较热地区	石油沥青	AH-90 AH-100 100号 140号	100号 140号	AH-50　AH-70 AH-90 10号 60号	AH-50 AH-70 60号

12

表 S-2.2.3　生活饮用水水质标准

序号	项　目	单　位	标　准	备　注
1	色，不超过	度	15	不呈现其它异色
2	浑浊度，不超过	度	5	
3	臭和味		无异臭、异味	
4	肉眼可见物		不含	
5	pH 值		6.5～8.5	
6	总硬度以 CaO 计不大于	mg/L	250	
7	铁，不超过	mg/L	0.3	
8	锰，不超过	mg/L	0.1	
9	铜，不超过	mg/L	1.0	
10	锌，不超过	mg/L	1.0	
11	挥发酚类，不超过	mg/L	0.002	
12	阴离子合成洗涤剂不超过	mg/L	0.3	

第三节　乳化沥青的制备

第 2.3.1 条　乳化温度是乳化沥青制备过程关键问题之一，过高，易发生事故；过低，不能生产出乳化沥青。较热地区常使用 60 号沥青，其乳化温度为：沥青 140～160℃；乳化剂水溶液 60～70℃或再高一些；温和地区常使用 100 号沥青，其乳化温度为：沥青 120～140℃；乳化剂水溶液 40～60℃或再高一些；乳化机械温度均在 60℃以上。

第 2.3.2 条　胶体磨类乳化机是常用的乳化机械。均油机生产出来的沥青微粒大小均匀，是一种通用型乳化机械，其原理与肢体磨相同。其它类型乳化器主要是均化器类乳化机，采用高压，将乳化沥青从微孔中喷出的形式，又叫喷嘴式乳化机。不采用搅拌式乳化机。因为用搅拌式乳化机生产的乳化沥青质量不佳。搅拌式乳化机转速低，很难将沥青剪切，分散成很小的微粒状态，因而生产的乳化沥青稳定性差。再者搅拌式乳化机不能连续生产，所以一般不采用搅拌式乳化机。

第 2.3.3 条 乳化沥青的制备

一、先将选定的石油沥青加热脱水，滤去杂物后泵入沥青贮罐中，保持温度在 $140\sim160℃$；

二、按配比将乳化剂加一部分水稀释溶于热水（$60\sim90℃$）中，制成乳化剂水溶液。如果需要加稳定剂，采用同样的方法将稳定剂加入乳化剂水溶液中，再泵送到乳化剂水溶液贮罐中，其配比见表 S-2.3.3。

三、按沥青与水溶液的配比要求，同时匀速注入乳化机中进行乳化，此时要特别注意不能"溢锅"，如发生"溢锅"现象应及时停机，调整好温度后再开机。

四、生产出来的乳化沥青应流入贮存池中，并设有观察和取样窗口，用肉眼判断颜色和取样按附录二要求检验沥青含量是否符合要求，符合要求时，才能泵入贮存油罐。

第 2.3.4 条 乳化沥青结冰后其性质已改变，不能再用于筑路。

第四节 贮存与运输

第 2.4.1 条 由于离子型不同，混用后正、负离子中和，使乳化沥青过早破乳，不能使用。

第 2.4.2 条 乳化沥青随着贮存时间的推移，沥青微粒开始絮凝，此时如加以上下搅拌，絮凝的沥青微粒尚可恢复成原有的均匀分散状态，是可逆反应，这样做有利于乳化沥青贮存稳定。

第 2.4.3 条 贮存和运输乳化沥青均应保持温度在 $20℃$ 以上，这是因为乳化沥青的活性与温度密切相关，温度低时沥青微粒容易絮凝并开始聚结，时间过长成为不可逆状态时，会过早成团，导致乳化沥青失效。

第 2.4.4 条 贮运乳化沥青时要保持水分不蒸发、温度相对稳定，采用油罐运送，能满足这些要求。

表S-2.3.3 各地乳化沥青配比表

序号	乳化剂			沥青		制备温度(℃)		乳化效果		拌和稳定度	地点	备注
	离子型	规格	用量(%)	规格	含量(%)	沥青	水溶液	颗粒(μm)	贮存稳定度			
1	(+)	大连NOT	0.4	胜利100#	60	130	75	小于5	合格	快裂	大连	
2	(+)	天津1631	0.3	大港140#	60	140	60	2~6	合格	快裂	天津	
3	(+)	大连NOT	0.3	南炼60#	60	130	70	小于5	合格	快裂	南京	
4	(+)	淮安AMO	0.4	周李庄140#	60	130	70	小于5	合格	快裂	南京	
5	(+)	大连NOT	0.6	茂名60乙	60	160	80	小于5	合格	中裂	重庆	
6	(+)	天津1631 OP-10	0.2 0.3	大港140#	60	140	60	2~6	合格	中裂	天津	复合乳化剂
7	(+)	大连NOT OP-10	0.1 0.5	胜利100#	60	140	60	小于5	合格	慢裂	天津	复合乳化剂
8	(-)	肥皂 硅酸钠 工业苛性钠	0.32 0.32 0.16	胜利100#	60	130	75	小于5	合格	快裂	大连	

第三章　对基层的要求

乳化沥青路面对基层的要求与普通沥青路面对基层的要求基本相同。基层的种类和质量技术要求，在现行的《沥青路面施工及验收规范》（GBJ92）中已有明确规定。为了使本规程具有完整性，才将需要强调的内容列于本章，便于工程技术人员使用。

第四章 乳化沥青表面处治与
贯入式路面

第一节 一般规定

第4.1.1条 乳化沥青表面处治和贯入式路面施工，要求工序衔接紧密。乳化沥青喷洒完毕，要等表面破乳，即由棕褐色变为黑色（在阳光下，20℃气温时，破乳时间约为20min），立即铺下一层矿料；过早，矿料遮住阳光，影响水分蒸发，路面不易成型；过晚，乳化沥青中沥青微粒已与矿料粘附，形成油膜，再铺矿料碾压，会使油膜脱落。

第4.1.2条 集料的材质，主要是指它与乳化沥青粘附能力而言。阴离子乳化沥青，只对碱性石料，如石灰岩等，粘附能力好。阳离子乳化沥青，对碱性石料，酸性石料均有良好的粘附能力。

第4.1.3条 对于中、轻交通量、用于面层下层和联接层时选用Ⅲ级石料；用于重交通量则选用Ⅱ级；只有做防滑面层使用时才选择Ⅰ级。

第4.1.4条 根据各地施工经验，乳化沥青路面对施工气温比较敏感，因为它有蒸发析水成型过程。一般在10℃以上施工时，路面稳定；日平均温度低于5℃已是低温季节，如果不出现负温度也可以施工，但要采取措施，例如将乳化沥青的温度提高到60℃以上，如果出现负温时，一般情况下，不宜施工。温和地区五月至十月是最佳施工期。

第二节 乳化沥青粘层

第4.2.1条 乳化沥青粘层，可用于乳化沥青路面，亦可用于热拌热铺沥青路面。

第4.2.2条 粘层乳化沥青主要选用快裂型乳化沥青。如CR、AR阳离子型和阴离子型乳化沥青。喷洒后要很快破乳，以便进行下一工序。

第4.2.3条 按设计要求控制乳化沥青用量，应当掌握乳化沥青中的沥青含量。其用量应根据下层结构情况确定。当沥青类旧路面清扫干净后，乳化沥青粘层的用量约为 $0.60 \sim 0.80\text{kg/m}^2$；当下层属于碎石类结构时，用量有时增至 $1.0 \sim 1.2\text{kg/m}^2$。

第4.2.4条 粘层施工时，必须将基面清扫干净。气温高时，可在基面上洒水湿润。其目的是为了使乳化沥青更好地与面层结合及有利于渗透。

第4.2.5条 喷洒粘层乳化沥青与热沥青一样，必须均匀、不露白、不流淌。

第三节 乳化沥青表面处治路面

第4.3.1条 表面处治以采用层铺法为主。国内还有拌和法，有些地方采用冷拌阳离子乳化沥青砂或乳化沥青稀浆封层等做法，但试验路面不多，因此本规程未予包括，有待以后修订时补充。

集料规格见表 S-4.3.1。

表 S-4.3.1 表面处治集料规格

序号	标准尺寸 (mm)	通过下列筛孔(mm)的质量百分率 (%)						备注
		25	20	15	10	5	2.5	
1	15~25	95~100		0~15	0~5			
2	5~15		100	95~100	40~70	0~10	0~5	
3	3~5				100	85~100	0~10	

表4.3.1中规定的乳化沥青用量，可根据集料的具体条件灵活掌握。

第4.3.2条 沥青材料是热沥青、乳化沥青和稀释沥青的总称。因为有的地区用热沥青做粘层油或透层油，所以才写做沥青材料。

第4.3.3条 单、双层表面处治，一般作为磨耗层使用。

第4.3.4条 乳化沥青表面处治特别需要轮胎碾压。在养护期间如有松动的石碴，应及时扫除，否则经车轮带起会破坏面层。

第4.3.5条 成型养护是乳化沥青表面处治路面的最后一道工序。要特别注意选择时机，夏季可以早些，春秋季可以晚些。

第四节　乳化沥青贯入式路面

第4.4.1条 贯入式路面最上一层，相当于单层表面处治，起封闭面层，防止水分渗入的作用。如果面层长时间不能施工时，此层也要做。

第4.4.2条 贯入式的乳化沥青用量，随当地集料规格和空隙率大小而变化。根据我国实际情况，提出材料用量，列于表S-4.4.2中。与《沥青路面施工及验收规范》GBJ92和日本规范《简易铺装要纲（1979年版）》相比较，列于表S-4.4.2中。

表S-4.4.2　乳化沥青用量比较表

贯入式厚度（cm）	国标中热沥青用量（kg/m²）	日本规范用量（L/m²）		大连试验路面用量（kg/m²）		本规程用量（kg/m²）		与国标比较降低沥青用量（%）
		乳化沥青	折合沥青	乳化沥青	折合沥青	乳化沥青	折合沥青	
4	4.4~5.0	—	—	—	—	6.7~7.5	4.0~4.5	10
5	5.2~5.3	5.9~6.2	3.5~3.7	—	—	7.4~8.2	4.4~4.9	11
6	5.8~6.4	—	—	8.7	5.2	8.2~9.0	4.9~5.4	16
7	6.7~7.3	7.8~8.2	4.7~4.9	—	—	8.8~9.6	5.3~5.8	20
8	7.6~8.2	—	—	9.9	5.9	9.4~10.2	5.6~6.1	26

第4.4.3条 乳化沥青贯入式路面具有较高的强度和稳定性。主要靠嵌缝料嵌挤填充主层集料的上部孔隙使主层集料表面

密实均匀，从而形成一个稳定的、强度高的结构层。所以集料规格要合适，撒布要均匀，并碾压适度。碾压不足，碎石层不易稳定造成很大空隙，乳液容易流失，形成上层"缺油"，碾压过度、石料过多地被压碎、破坏了嵌挤原则、空隙减少，乳液难以下渗，造成上层"多油"现象。所以适度碾压非常重要。

第4.4.4条 贯入式路面是一种多孔隙结构，其上必须有封层，但透水还是不易避免。解决的办法是两侧路肩最好用透水性大的矿料修筑，所以要特别重视其下层的水稳定性能和基槽排水问题。

第五章 乳化沥青混凝土和
乳化沥青碎石路面

第一节 一 般 规 定

第5.1.1条 乳化沥青混凝土和乳化沥青碎石，均是用乳化沥青与规定的矿料拌和，国标上并无严格区分，我们把它们统称为乳化沥青混合料。实践证明，用阳离子乳化沥青拌和的混合料，只要严格按规定方法施工，均能取得良好效果。用阴离子乳化沥青拌和的混合料，实践经验不多，因此，不推荐用阴离子乳化沥青拌和混合料。但是，有的地区，通过实验，证明可行，也可以使用。因为阴离子乳化剂价格便宜，货源充足。

美国用于拌和的阴、阳离子乳化沥青适应情况，见表S-5.1.1。

表 S-5.1.1 美国乳化沥青适用子拌和的情况表

类 别	阴离子		阳离子		备注
	中裂	慢裂	中裂	慢裂	
	MS-1，MS-2h MS-2	SS-1 SS-1h	CMS-2 CMS-2h	CSS-1 CSS-1h	
厂拌开级配矿料	MS-1 MS-2，MS-2h		CMS-2 CMS-2h		
厂拌密级配矿料		SS-1 SS-1h		CSS-1 CSS-1h	
路拌开级配矿料	MS-1 MS-2，MS-2h		CMS-2 CMS-2h		
路拌密级配矿料		SS-1 SS-1h		CSS-1 CSS-1h	
乳化沥青温度	10～70℃	10～70℃	10～70℃	10～70℃	

第5.1.2条 拌和用阳离子乳化沥青必须使用CM和CS规

格。拌和用乳化沥青配比计算方法举例如下：

表 S-5.1.2　拌和用乳化沥青配比表

序号	类别	规　格	用量（%）	每吨乳化沥青的用量（kg）
1	乳化剂	NOT0.35 浓度	0.50	1.43
2	稳定剂	CaCl·2H$_2$O	0.15	1.5
3	水	饮用水	44.35	434.2
4	沥青	100 号	55.00	550.0
	合　计		100	1000

选用沥青时应根据设计中、轻或重交通量，按本说明第二章表列数据选择。

第 5.1.3 条　其它有害杂质是指这些杂质影响乳化沥青在拌和过程中拌和稳定度的物质。

第 5.1.4 条　作乳化沥青混合料配比设计时，常用石屑含量调整级配，因此允许其有小于 0.074mm 的颗粒，但不能超过 15%。

第 5.1.5 条　加缓破剂水溶液，是延缓乳化沥青混合料破乳的有效手段，有利于乳化沥青混合料的运输和摊铺。但是，摊铺碾压后又希望它马上破乳形成路面，所以缓破剂又不能加得太多。

第二节　乳化沥青混凝土路面

第 5.2.1 条　乳化沥青混凝土混合料的级配选择，主要根据历次实验路面的总结确定的。其与国际热沥青混凝土级配、日本《简易铺装要纲》比较，列于表 S-5.2.1。

对于乳化沥青混合料的性能检验，采用附录三的方法，用马歇尔试验方法进行。这个方法与热沥青的不同点是，第一次试件成型夯实为两面各 25 次，在烘箱中烘 24h 后，脱水率能达到 95% 以上，此时再按规定，各夯 50（中、轻交通）或 75（重交通）次。这样，试件的性能可用以表示脱水成型后乳化沥青混凝土的力学性能。

表 S-5.2.1　乳化沥青混凝土级配对比表

类式	类别	通过筛孔 (mm) 的质量百分率 (%)												用量 (%)	
		30	25	20	15	10	5	2.5	1.2	0.6	0.3	0.15	0.074	乳化沥青	折合沥青
粗粒式	国标 LH-30	95~100	75~95	—	55~75	40~60	25~45	15~35	—	5~18	4~14	3~8	2~5	—	4.0~5.5
粗粒式	本规程 RLH-30	95~100	75~95	—	55~80	40~60	23~46	15~32	—	5~18	4~13	2~10	2~4	6.5~8.0	3.9~4.8
中粒式	国标 LH-20			95~100	—	50~70	30~50	20~35	13~25	9~18	6~13	4~8	3~7	—	4.5~6.0
中粒式	日本粗粒型		100	95~100	*70~100	—	35~55	20~35	—	8~20	5~15	2~10	0~4	7.0~8.5	4.2~5.1
中粒式	本规程 RLH-20			95~100	—	50~70	35~55	20~35	13~25	8~20	5~12	2~10	2~5	7.5~9.0	4.5~5.4
细粒式	国标 LH-15				95~100	—	35~55	25~40	18~30	12~20	8~16	5~10	4~8	—	5.0~6.5
细粒式	日本密粒型		100	95~100	*80~100	50~70	50~70	35~50	—	14~26	8~18	3~11	0~5	8.0~9.5	4.8~5.2
细粒式	本规程 RLH-15				95~100	—	50~70	35~50	25~40	19~30	13~21	4~15	4~8	8.5~10.0	5.1~6.0

注：* 的筛孔为 13mm。

第5.2.2条　缓破剂水溶液的用量，一般以水石比（即水溶液占矿料质量的百分比）表示。在拌和乳化沥青混凝土混合料时，粒径小于 0.074mm 的颗粒含量偏大时，水石比用高值；含量偏小则用低值，但不能小于 2%。检查水石比的方法是用肉眼观察矿料颗粒是否被水溶液完全湿润，以完全湿润为好。

投料顺序是：矿料——水溶液——乳化沥青——出料。自加入乳化沥青到出料的时间，以 20s 为宜。选用缓破剂水溶液和乳化沥青的喷口时，孔径应大些，以便在极短的时间内就能喷完。

第5.2.3条　压实系数应根据实验确定，一般均比热沥青混凝土大。用轮胎压路机碾压的效果，优于钢轮压路机。

第5.2.4条　限速放行直行车辆的作用，是成型的手段。此时要加强管理，应及时扫除路面上的石碴（有时被车轮带起），以免破坏路面。

第5.2.5条　因中粒式乳化沥青混凝土面层粗糙。防渗能力差，因此，均做成型养护。

第三节　乳化沥青碎石路面

第5.3.1条　乳化沥青碎石路面；同嵌锁型拌和式路面，一般用于基层或面层下层。次要道路也可用做面层，但必须有表面处治层。

第5.3.2条　乳化沥青碎石与热沥青碎石级配比较，见表S-5.3.2。

表 S-5.3.2　乳化沥青碎石级配对比表

类式	类别	通过筛孔(mm)的质量百分率(%)									用量(%)	
		30	25	15	10	5	2.5	0.6	0.3	0.074	乳化沥青	折合沥青
粗粒式	国标 LS-30	95~100	—	40~60	25~45	10~30	5~20	0~10	0~6	0~4	—	4.0~5.0
	本规程 RLS-30	95~100	—	40~60	25~45	10~30	5~20	0~10	0~6	0~4	6~8	3.6~4.8
中粒式	国标 LS-25		95~100	—	35~55	15~35	5~25	0~11	0~7	0~5	—	4.5~5.5
	本规程 RLS-25		95~100	—	35~55	15~35	5~25	0~11	0~7	0~5	7~9	4.2~5.4

25

第六章 质量控制与验收

第6.0.1条 贮存稳定度是乳化沥青生产时，经常检验的项目。一般检查一日稳定度不大于1%，也可以代替五日贮存稳定度。冬期施工限于最低气温高于—5℃的季节，在特殊情况下才能进行。冬期施工除做冰冻稳定度试验外，还要采取特别技术措施，如将乳化沥青的沥青含量增大到65%，施工时将乳化沥青加热到70～85℃喷洒，加强早期养护等。

第6.0.2条 基层的质量检验，应与建设部有关规定一致。

第6.0.3条、第6.0.4条、第6.0.5条 是乳化沥青表面处治、贯入式，乳化沥青混凝土及乳化沥青碎石的质量检验的要求，与现行的《沥青路面施工及验收规范》(GBJ 92) 一致。

统一书号：15112·14720
定　价：**10.00** 元

UDC

中华人民共和国行业标准

P

CJJ 42－91

乳化沥青路面施工及验收规程

条 文 说 明

1991－06－27　发布　　　　1992－02－01　实施

中 华 人 民 共 和 国 建 设 部　　　发 布